La petite Princesse et le vent

Texte : Gilles Tibo
Illustrations : Josée Masse

Pour Marie-France,
la grande princesse de mon cœur…
Gilles Tibo

Pour Alice,
n cœur.
ée Masse

imagine

Il était une fois une petite Princesse qui détestait le vent.

Elle n'appréciait pas le vent qui courait sur la plaine parce que le vent de la plaine décoiffait toujours ses cheveux.

Elle détestait le vent de la mer parce que le vent de la mer lançait toujours du sable dans ses yeux.

Elle n'aimait pas le vent de la montagne parce que le vent de la montagne transportait toujours des feuilles mortes.

Agacée par tous ces vents, la petite Princesse convoqua la
fée Tourloupinette :

— Fée Tourloupinette, je vous ordonne d'arrêter le vent !

— Tous les vents ? demanda la fée.

— Tous les vents, ordonna la petite Princesse. Ceux du matin
comme ceux du soir. Ceux de l'été comme ceux de l'hiver !

La fée Tourloupinette pointa sa baguette vers la plaine, vers la mer, vers la montagne et prononça la formule magique :
– Turlupino, Turlupini, Turlupinette !

Aussitôt, les vents qui soufflaient sur le royaume
ralentirent leur course, devinrent des brises
légères puis disparurent à l'horizon.

— Youpi ! s'écria la petite Princesse en quittant le château.
Elle se rendit dans la plaine et ne fut pas décoiffée. Elle
marcha au bord de la mer et ne reçut pas de sable dans les
yeux. Elle grimpa sur la montagne et ne fut pas couverte
de feuilles mortes.

Quelques jours plus tard, les habitants du royaume
commencèrent à se plaindre :
— Les nuages ne bougent plus dans le ciel ! Les moulins
à vent ne tournent plus ! Les voiliers n'avancent plus !
Le feuillage des arbres ne chante plus sous le vent !

Après quelques semaines, les sources commencèrent
à s'épuiser, les jardins à sécher. Les cultivateurs se
lamentaient sans cesse. Mais la petite Princesse faisait
la sourde oreille.

Découragées, des milliers de personnes quittèrent ce
royaume où il ne ventait plus jamais. On abandonna des
villages complets, des villes entières.

La bonne fée Tourloupinette répéta mille fois à la petite
Princesse qu'il fallait ramener le vent, mais aucun
argument ne parvint à la faire changer d'idée : elle avait
la tête aussi dure qu'une pierre.

Déçue, la bonne fée quitta le pays en compagnie de tous les
serviteurs du château. La petite Princesse se retrouva toute
seule dans son royaume.

La première journée, elle joua avec ses poupées.

La deuxième journée, elle marcha dans la campagne déserte. La troisième journée, elle traversa un village abandonné.

Elle comprit alors qu'un royaume sans vent ressemblait à un cœur sans amour. La petite Princesse retourna au château, grimpa au sommet de la plus haute tour et cria toute la nuit :

— Bonne fée Tourloupinette ! Revenez, je vous en prie !

Le lendemain, à l'aube, la petite Princesse sanglotait encore au sommet de la tour lorsqu'elle aperçut la bonne fée Tourloupinette.

La petite Princesse essuya ses larmes et sauta dans les bras
de la bonne fée :

— Vite ! Vite ! S'il vous plaît ! Faites revenir le vent !

— Tous les vents ? demanda la bonne fée.

— Tous les vents, répondit la petite Princesse. Ceux du
matin comme ceux du soir. Ceux de l'été comme ceux
de l'hiver !

La bonne fée Tourloupinette pointa sa baguette vers la plaine, vers la mer, vers la montagne.
— Turlupino, Turlupini, Turlupinette !

Aussitôt, les nuages recommencèrent à circuler. Les moulins se remirent à tourner. La pluie dégringola du ciel. Les sources s'emplirent d'eau. Les habitants revinrent habiter les villes et les villages.

La petite Princesse courut au bord de la mer pour y construire un château de sable. Elle s'étendit dans la plaine afin de respirer le parfum des fleurs. Et, sur la montagne, elle se roula joyeusement dans les feuilles.

Décoiffée, les mains pleines de sable et les poches remplies de feuilles, la petite Princesse revint au château. La bonne fée l'attendait avec une surprise.

La petite Princesse déballa le cadeau en vitesse. C'était un magnifique cerf-volant, aussi léger qu'une plume d'hirondelle et plus brillant que le soleil.

— Youpi ! s'écria la petite Princesse.

Mais elle avait encore un vœu à formuler :

— Bonne fée Tourloupinette…
j'aimerais… aussi… que…

En souriant, la bonne fée s'empressa de réaliser le vœu de la petite Princesse. Elle pointa sa baguette vers la plaine, vers la mer, vers la montagne :

— Turlupino, Turlupini, Turlupinette !

Aussitôt, de magnifiques cadeaux apparurent dans toutes les maisons du royaume.

Le soir même, dix mille cerfs-volants, plus étincelants que l'or, flottaient au-dessus de la mer, de la plaine, de la montagne et, bien sûr, au-dessus du château…

Catalogage avant publication de Bibliothèque et Archives Canada

Tibo, Gilles, 1951-

La petite Princesse et le vent

(Mes premières histoires)
Pour enfants de 3 à 5 ans.

ISBN 2-89608-034-1

I. Masse, Josée. II. Titre. III. Collection: Mes premières histoires (Éditions Imagine).

PS8589.I26P47 2006   jC843'.54   C2006-940559-X
PS9589.I26P47 2006

Graphisme : Pierre David

Dépôt légal : 2006
Bibliothèque nationale du Québec
Bibliothèque nationale du Canada

Les éditions Imagine
4446, boul. Saint-Laurent, 7e étage
Montréal (Québec) H2W 1Z5
Courriel : info@editionsimagine.com
Site Internet : www.editionsimagine.com

Imprimé au Québec
10 9 8 7 6 5 4 3 2 1

Conseil des Arts   Canada Council
du Canada   for the Arts

Nous remercions le Conseil des Arts du Canada de l'aide accordée à notre programme de publication.

Gouvernement du Québec – Programme de crédit d'impôt pour l'édition de livres – Gestion SODEC